하루 한 장 75일

교과 연산

DO

초4 〈수특강〉 큰 수

변화를 정확히 이해해야 합니다.

수학의 기본이면서 이제는 필수가 된 연산 학습, 그런데 왜 우리 아이들은 많은 학습지를 풀고도 학교에 가면 연산 문제를 해결하지 못할까요?

지금 우리 아이들이 학습하는 교과서는 과거와는 많이 다릅니다. 단순 계산력을 확인하는 문제 대신 다양한 상황을 제시하고 상황에 맞게 문제를 해결하는 과정을 평가합니다. 그래서 단순히 계산하여 답을 내는 것보다 문장을 이해하고 상황을 판단하여 스스로 식을 세우고 문제를 해결하는 복합적인 사고 과정이 필요합니다.

그림을 보고 상황을 판단하는 능력, 그림을 보고 상황을 말로 표현하는 능력, 문장을 이해하는 능력 등 상황 판단 능력을 길러야 하는 이유입니다.

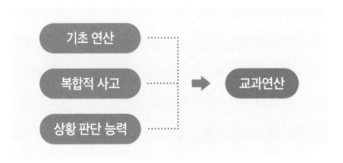

연산 원리를 학습함에 있어서도 대표적인 하나의 풀이 방법을 공식처럼 외우기만 해서는 지금의 연산 문제를 해결하기 어렵습니다. 연산 학습과 함께 다양한 방법으로 수를 분해하고 결합하는 과정, 즉 수 자체에 대한 학습도 병행되어야 합니다.

교과연산은 연산 학습과 함께 수 자체를 온전히 학습할 수 있도록 단계마다 '수특강'을 구성하고 있습니다. 계산은 문제를 해결하는 하나의 과정으로서의 의미가 큽니다.

학교에서 배우게 될 내용과 직접적으로 관련이 있는 교과연산으로 가장 먼저 시작하기를 추천드립니다.
요즘 연산은 교과 연산입니다.

"계산은 그 자체가 목적이 아닙니다. 문제를 해결하는 하나의 과정입니다."

하루 **한** 장, *75*일에 완성하는 **교과연산**

한 단계는 총 4권으로 수를 학습하는 0권과 연산을 학습하는 1권, 2권, 3권으로 구성되어 있습니다.

수 영역은 연산과 뗄래야 뗄 수 없습니다. 수 영역을 제대로 학습하지 않고 연산만 한다면 연산 원리를 이해하는 데 부족함이 있습니다.
교과연산은 연산 학습을 하면서 반드시 필요한 수 영역을 수특강으로 해결합니다.

기초 연산도 합니다. 연산 원리를 이해하고 계산 연습도 합니다. 그에 더해서 교과연산은 다양한 상황 문제를 제시하여 상황에 맞는 식을 세우고 문제를 해결하는 상황 판단 능력을 길러줍니다.

"연산을 이해하기 위해서는 수를 먼저 이해해야 합니다."

원리는 기본, 복합적 사고 문제까지 다루는 교과연산

원리
수와 연산의 원리를
이해하고 연습합니다.

복합적 사고
연산 원리를 이용하여
다양한 소재의 복합적
문제를 해결합니다.

상황 판단 문제
문장 이해력을 기르고
상황에 맞는 식을 세워
문제를 해결합니다.

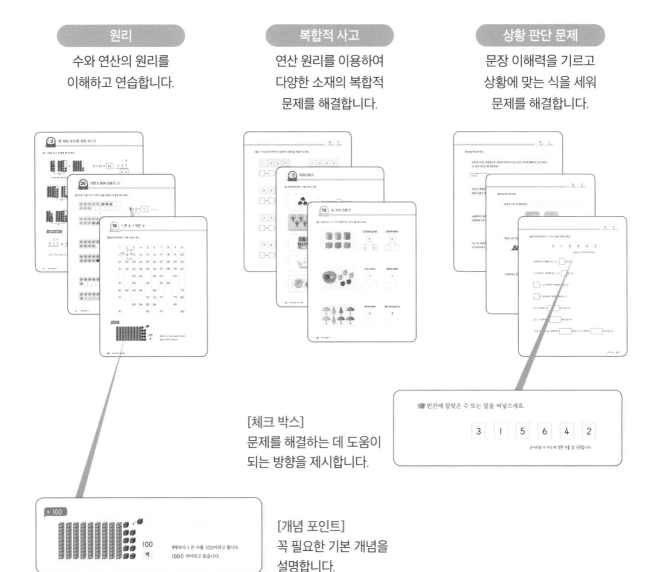

[체크 박스]
문제를 해결하는 데 도움이
되는 방향을 제시합니다.

[개념 포인트]
꼭 필요한 기본 개념을
설명합니다.

"교과연산은 꼬이고 꼬인 어려운 연산이 아닙니다.
일상 생활 속에서 상황을 판단하는 능력을 길러주는 연산입니다."

하루 한 장, 75일 집중 완성 교과연산 묻고 답하기

Q1 왜 교과연산인가요?

지금의 교과서는 과거의 교과서와는 많이 다릅니다. 하지만 아쉽게도 기존의 연산학습지는 과거의 연산 학습 방법을 그대로 답습하고 변화를 제대로 반영하지 못하고 있습니다. 교과연산은 교과서의 변화를 정확히 이해하고 체계적으로 학습을 할 수 있도록 안내합니다.

Q2 다른 연산 교재와 어떻게 다른가요?

교과연산은 변화된 교과서의 핵심 내용인 상황 판단 능력과 복합적 사고력을 길러주는 최신 연산 프로그램입니다. 또한 연산 학습의 바탕이 되는 '수'를 수특강으로 다루고 있어 수학의 기본이 되는 연산학습을 체계적으로 학습할 수 있습니다.

Q3 학교 진도와는 맞나요?

네, 교과연산은 학교 수업 진도와 최신 개정된 교과 단원에 맞추어 개발하였습니다.

Q4 단계 선택은 어떻게 해야 할까요?

권장 연령의 학습을 추천합니다.
다만, 처음 교과 연산을 시작하는 학생이라면 한 단계 낮추어 시작하는 것도 좋습니다.

Q5 '수특강'을 먼저 해야 하나요?

'수특강'을 가장 먼저 학습하는 것을 권장합니다. P단계를 예로 들어보면 P0(수특강)을 먼저 학습한 후 차례대로 P1~P3 학습을 진행합니다. '수특강'은 각 단계의 연산 원리와 개념을 정확하게 이해하고 상황 문제를 해결하는 데 디딤돌이 되어줄 것입니다.

이 책의 차례

1주차 다섯 자리 수

01_강 10000

📖 빈칸에 알맞은 수를 써넣으세요.

1000이 10개이면 [ ] 입니다.

100이 10개이면 [ ] 입니다.

100이 100개이면 [ ] 입니다.

100이 10개인 것이 10개이면 10000입니다.

10이 10개이면 [ ] 입니다.

10이 100개이면 [ ] 입니다.

10이 [ ] 개이면 10000입니다.

★ 10000

1000이 10개인 수를 10000 또는 1만이라 쓰고, 만 또는 일만이라고 읽습니다.

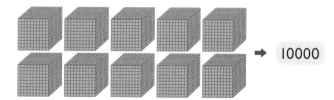 → 10000

10000은 9000보다 1000 큰 수입니다.
10000은 9900보다 100 큰 수입니다.
10000은 9990보다 10 큰 수입니다.
10000은 9999보다 1 큰 수입니다.

10000이 되도록 이어 보세요.

9999 ·	· 100
9990 ·	· 1
9900 ·	· 10

8000 ·	· 2000
5000 ·	· 3000
7000 ·	· 5000

9960 ·	· 60
9940 ·	· 80
9920 ·	· 40

9100 ·	· 700
9500 ·	· 500
9300 ·	· 900

다섯 자리 수

📘 빈칸에 알맞은 수를 써넣으세요.

53719 →

만의 자리	천의 자리	백의 자리	십의 자리	일의 자리
5	3	7	1	9

$$53719 = \boxed{} + 3000 + \boxed{} + 10 + \boxed{}$$

만의 자리 숫자 5는 50000을 나타냅니다.

91262 →

만의 자리	천의 자리	백의 자리	십의 자리	일의 자리
☐	1	☐	6	☐

$$91262 = 90000 + \boxed{} + 200 + \boxed{} + 2$$

35035 →

만의 자리	천의 자리	백의 자리	십의 자리	일의 자리
☐	☐	☐	3	5

$$35035 = \boxed{} + 5000 + \boxed{} + 30 + \boxed{}$$

★ 각 자리의 숫자

만의 자리	천의 자리	백의 자리	십의 자리	일의 자리
3	5	2	9	8
↓				
3	0	0	0	0
	5	0	0	0
		2	0	0
			9	0
				8

35298 = 30000 + 5000 + 200 + 90 + 8

10000이 3개, 1000이 5개, 100이 2개, 10이 9개, 1이 8개인 수를 35298이라 쓰고, 삼만 오천이백구십팔이라고 읽습니다.

■ 수를 쓰고 읽어 보세요.

10000이 6개, 1000이 3개, 100이 2개, 10이 6개, 1이 1개인 수

쓰기 _____   읽기 _____

10000이 4개, 1000이 3개, 100이 1개, 10이 9개, 1이 9개

쓰기 _____   읽기 _____

10000이 9개, 1000이 8개, 100이 3개, 10이 4개, 1이 5개인 수

쓰기 _____   읽기 _____

10000이 8개, 1000이 7개, 100이 5개인 수

쓰기 _____   읽기 _____

10000이 2개, 100이 3개, 1이 1개인 수

쓰기 _____   읽기 _____

📖 빈칸에 알맞은 수나 말을 써넣으세요.

52762	오만 이천칠백육십이
72923	
	이만 천오백사십팔
65000	
	오만 육천칠
45076	
	이만 구천삼백오
80203	

바르게 읽은 것에 ◯표 하세요.

45323

사만 오천삼백삼십이

사만 오천삼백이십삼

77896

칠만 칠천팔백구십육

팔만 칠천팔백구십육

56320

오만 육천삼백이십

오만 육천삼백이

20842

이만 팔천사십이

이만 팔백사십이

60113

육만 천백삼

육만 백십삼

99000

구만 구천

구만 구백

34055

삼만 사천오십오

사만 삼천오십오

40780

사만 칠천팔백

사만 칠백팔십

금액 세기

💳 돈이 모두 얼마인지 세어 보세요.

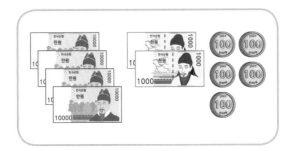

10000이 4개, 1000이 2개,
100이 5개입니다.

(   )원

(   )원

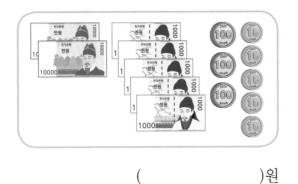

(   )원

(   )원

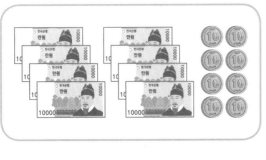

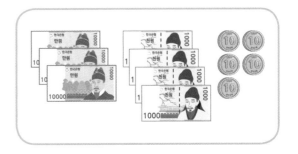

(   )원

(   )원

💴 돈이 모두 얼마인지 세어 보세요.

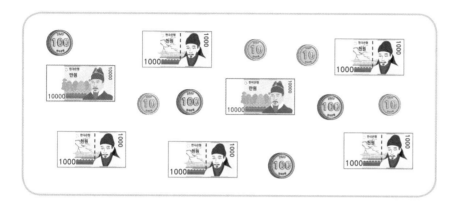

( )원

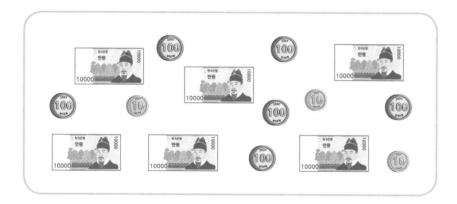

( )원

( )원

05 강 큰 수, 작은 수

수 카드를 한 번씩만 사용하여 다섯 자리 수를 2가지 만들고 읽어 보세요.

수 카드		
1 5 2 4 3	쓰기 24513	읽기 이만 사천오백십삼
	쓰기	읽기
3 7 1 5 9	쓰기	읽기
	쓰기	읽기
0 4 1 2 3	쓰기	읽기
	쓰기	읽기

만의 자리에 사용할 수 없는 숫자가 있습니다.

수 카드		
8 7 3 0 9	쓰기	읽기
	쓰기	읽기

수 카드를 한 번씩만 사용하여 가장 큰 다섯 자리 수와 가장 작은 다섯 자리 수를 만들어 보세요.

| 2 | 4 | 3 | 5 | 1 |

가장 큰 다섯 자리 수: ☐

가장 작은 다섯 자리 수: ☐

가장 큰 다섯 자리 수: ☐

가장 작은 다섯 자리 수: ☐

가장 큰 다섯 자리 수: ☐

가장 작은 다섯 자리 수: ☐

| 7 | 1 | 8 | 3 | 4 |

가장 큰 다섯 자리 수: ☐

가장 작은 다섯 자리 수: ☐

| 3 | 0 | 2 | 7 | 6 |

가장 큰 다섯 자리 수: ☐

가장 작은 다섯 자리 수: ☐

| 0 | 4 | 1 | 5 | 8 |

가장 큰 다섯 자리 수: ☐

가장 작은 다섯 자리 수: ☐

■ 다섯 자리 수입니다. 설명에 알맞은 수를 써 보세요.

• I부터 5까지의 수를 한 번씩 사용했습니다.
• 만의 자리 수는 천의 자리 수보다 크고, 천의 자리
  수는 백의 자리 수보다 큽니다.
• 십의 자리 수는 2입니다.
• 일의 자리 수는 짝수입니다.

(   )

• 각 자리 숫자는 서로 다른 홀수입니다.
• 백의 자리 수는 5입니다.
• 만의 자리 수는 90000을 나타냅니다.
• 십의 자리 수와 일의 자리 수의 합은 I0입니다.
• 일의 자리 수는 십의 자리 수보다 큽니다.

(   )

• 5부터 9까지의 수를 한 번씩 사용했습니다.
• 천의 자리 수는 8000을 나타냅니다.
• 만의 자리 수는 짝수입니다.
• 일의 자리 수는 십의 자리 수보다 크고, 십의 자리
  수는 백의 자리 수보다 큽니다.

(   )

2주차 천만 단위의 수

빈칸에 알맞은 수를 써넣으세요.

10000이 10개이면 [   ]입니다.

10000이 100개이면 [   ]입니다.

10000이 1000개이면 [   ]입니다.

10000000(1000만)은 0이 7개인 수로 8자리 수입니다.

100000이 10개이면 [   ]입니다.

100000이 100개이면 [   ]입니다.

100000이 10개인 것은 100000의 10배, 100개인 것은 100배 한 것과 같습니다.

★ 십만, 백만, 천만

	쓰기		읽기
10000이 10개이면	100000	10만	십만
10000이 100개이면	1000000	100만	백만
10000이 1000개이면	10000000	1000만	천만

10000이 35개이면 350000 또는 35만이라 쓰고, 삼십오만이라고 읽습니다.

10000이 127개이면 1270000 또는 127만이라 쓰고, 백이십칠만이라고 읽습니다.

10000이 5678개이면 56780000 또는 5678만이라 쓰고, 오천육백칠십팔만이라고 읽습니다.

알맞게 이어 보세요.

20000 ・　・ 20만

200000 ・　・ 2000만

2000000 ・　・ 200만

20000000 ・　・ 2만

51000000 ・　・ 51만

510000 ・　・ 510만

5100000 ・　・ 5100만

3630000 ・　・ 3630만

36030000 ・　・ 3603만

36300000 ・　・ 363만

🔲 빈칸에 알맞은 수를 써넣으세요.

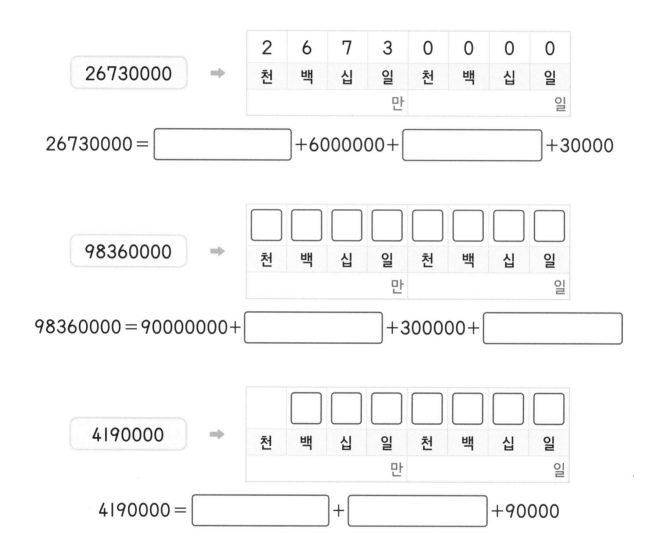

2	6	7	3	0	0	0	0
천	백	십	일	천	백	십	일
			만				일

26730000 →

$26730000 = \boxed{} + 6000000 + \boxed{} + 30000$

천	백	십	일	천	백	십	일
			만				일

98360000 →

$98360000 = 90000000 + \boxed{} + 300000 + \boxed{}$

천	백	십	일	천	백	십	일
			만				일

4190000 →

$4190000 = \boxed{} + \boxed{} + 90000$

> ★ **각 자리의 숫자**

2	3	4	5	0	0	0	0
천	백	십	일	천	백	십	일
			만				일

23450000
= 20000000 + 3000000 + 400000 + 50000

23450000에서 천만의 자리 숫자는 2, 백만의 자리 숫자는 3, 십만의 자리 숫자는 4, 만의 자리 숫자는 5이고, 천의 자리 숫자는 0, 백의 자리 숫자는 0, 십의 자리 숫자는 0, 일의 자리 숫자는 0입니다.

빈칸에 알맞은 수를 써넣으세요.

83140000

천만의 자리 숫자는 ▢입니다.

만의 자리 숫자는 ▢입니다.

몇 자리인지 셀 때는 일의 자리부터 단위를 셉니다.

25490000

백만의 자리 숫자는 ▢입니다.

십만의 자리 숫자는 ▢입니다.

2 5 4 9 0 0 0 0
천만 백만 십만 만 천 백 십 일
←

780000

십만의 자리 숫자는 ▢입니다.

만의 자리 숫자는 ▢입니다.

6420000

백만의 자리 숫자는 ▢입니다.

십만의 자리 숫자는 ▢입니다.

54900000

천만의 자리 숫자는 ▢입니다.

십만의 자리 숫자는 ▢입니다.

45600000

백만의 자리 숫자는 ▢입니다.

만의 자리 숫자는 ▢입니다.

빈칸에 알맞은 수나 말을 써넣으세요.

| 320000 | — | 삼십이만 |

| 750000 | — | |

| | — | 오십만 |

| 9890000 | — | |

| | — | 백육십팔만 |

| 54320000 | — | |

| | — | 팔천육백삼십일만 |

| 40140000 | — | |

📖 알맞게 이어 보세요.

백칠십만 ·	· 1170000 ·	· 117만
백십칠만 ·	· 1070000 ·	· 170만
백칠만 ·	· 1700000 ·	· 107만

사천삼백이십만 ·	· 4320000 ·	· 4230만
사천이백삼십만 ·	· 43200000 ·	· 432만
사백삼십이만 ·	· 42300000 ·	· 4320만

칠천오십만 ·	· 70050000 ·	· 7500만
칠천오백만 ·	· 75000000 ·	· 7050만
칠천오만 ·	· 70500000 ·	· 7005만

각 자리의 숫자 (2)

밑줄친 숫자가 나타내는 값을 써넣으세요.

5230000	5320000	2350000
⬇	⬇	⬇

5230000에서 2는 십만의 자리 숫자입니다.

83000000	830000	8300000
⬇	⬇	⬇

55550000	55550000	55550000
⬇	⬇	⬇

76430000	12680000	67900000
⬇	⬇	⬇

밑줄친 숫자가 나타내는 값이 가장 큰 수에 ◯표 하세요.

<u>4</u>260000   5<u>4</u>00000   38<u>4</u>0000

741<u>9</u>0000   6<u>9</u>250000   34<u>9</u>80000

5<u>3</u>080000   <u>3</u>40000   <u>3</u>0000000

2<u>4</u>8만   72<u>4</u>만   3<u>4</u>15만

99<u>2</u>0000   <u>2</u>340000   <u>2</u>6만

<u>7</u>3160000   <u>7</u>89만   12<u>7</u>8만

수 나타내기

다음과 같이 수를 나타내어 보세요.

 어느 도시에서 환경 사업으로 **15만** 그루의 나무를 심었습니다.

➡ 150000

 지구 한 바퀴는 약 **4000만** m입니다.

➡

 새로 나온 자동차의 가격이 **2540만** 원입니다.

➡

 세정이네 학교에서 불우 이웃 돕기 성금으로 **587만** 원을 모았습니다.

➡

 연휴 기간 동안 인천공항을 통해 출국한 사람이 **23만** 명을 넘었습니다.

➡

 우리 나라 휴대전화 가입자 수는 **6460만** 명이 넘습니다.

➡

다음과 같이 수를 나타내어 보세요.

123456 ➡ 12만 3456

20448577 ➡ _____

97501648 ➡ _____

56789000 ➡ _____

143만 ➡ 1430000

2002만 ➡ _____

3156만 7542 ➡ _____

565만 999 ➡ _____

■ 설명하는 수가 얼마인지 써 보세요.

10만이 2개, 만이 3개인 수   (   )

100만이 1개, 10만이 4개, 만이 5개인 수   (   )

1000만이 9개, 100만이 7개, 10만이 4개, 만이 1개인 수   (   )

만이 36개인 수   (   )

10만이 11개, 만이 5개인 수   (   )

10이 11개이면 110, 10만이 11개이면 110만입니다.

100만이 45개, 10만이 9개인 수   (   )

100만이 99개, 10만이 8개, 만이 7개인 수   (   )

🧊 빈칸에 알맞은 수를 써넣으세요.

| 1000만 | 1000만 | 1000만 | 1000만 | 1000만 | 1000만 | 1000만 | 1000만 | 1000만 | 1000만 |

1억은 1000만이 ⬚ 개인 수입니다.   1000이 10개이면 1만, 1000만이 10개이면 1억입니다.

1억은 9000만보다 ⬚ 큰 수입니다.

1억은 9900만보다 ⬚ 큰 수입니다.

1억은 9990만보다 ⬚ 큰 수입니다.

1억은 9999만보다 ⬚ 큰 수입니다.

- -

1억이 10개이면 ⬚ 입니다.   10억은 십억이라고 읽습니다.

1억이 100개이면 ⬚ 입니다.

1억이 1000개이면 ⬚ 입니다.

⭐ **억**

1000만이 10개인 수를 100000000 또는 1억이라 쓰고, 억 또는 일억이라고 읽습니다.

1억이 3개이면 300000000 또는 3억이라 쓰고, 삼억이라고 읽습니다.

1억이 3000개이면 300000000000 또는 3000억이라 쓰고, 삼천억이라고 읽습니다.

1억이 4528개이면 452800000000 또는 4528억이라 쓰고, 사천오백이십팔억이라고 읽습니다.

빈칸에 알맞은 수를 쓰고 읽어 보세요.

678900000000

큰 수는 일의 자리부터 네 자리씩 나누어 표시합니다.
6789˘0000˘0000

6	7	8	9	0	0	0	0	0	0	0	0
천	백	십	일	천	백	십	일	천	백	십	일
		억				만					일

읽기 _____

53100000000

천	백	십	일	천	백	십	일	천	백	십	일
		억				만					일

읽기 _____

104000000000

천	백	십	일	천	백	십	일	천	백	십	일
		억				만					일

읽기 _____

5700000000

천	백	십	일	천	백	십	일	천	백	십	일
		억				만					일

읽기 _____

빈칸에 알맞은 수를 써넣으세요.

1조는 1000억이 [ ] 개인 수입니다.   1억은 0이 8개로 9자리 수, 1조는 0이 12개로 13자리 수입니다.

1조는 9000억보다 [ ] 큰 수입니다.

1조는 9900억보다 [ ] 큰 수입니다.

1조는 9990억보다 [ ] 큰 수입니다.

1조는 9999억보다 [ ] 큰 수입니다.

1조가 10개이면 [ ] 입니다.   10조는 십조라고 읽습니다.

1조가 100개이면 [ ] 입니다.

1조가 1000개이면 [ ] 입니다.

1조가 3000개이면 [ ] 입니다.

⭐ 조

1000억이 10개인 수를 1000000000000 또는 1조라 쓰고, 조 또는 일조라고 읽습니다.

1조가 5개이면 5000000000000 또는 5조라 쓰고, 오조라고 읽습니다.

1조가 2000개이면 2000000000000000 또는 2000조라 쓰고, 이천조라고 읽습니다.

1조가 3926개이면 3926000000000000 또는 3926조라 쓰고, 삼천구백이십육조라고 읽습니다.

🔖 빈칸에 알맞은 수를 쓰고 읽어 보세요.

2378000000000000

2	3	7	8	0	0	0	0	0	0	0	0	0	0	0	0
천	백	십	일	천	백	십	일	천	백	십	일	천	백	십	일
			조				억				만				일

큰 수는 일의 자리부터 네 자리씩
나누어 만, 억, 조를 이용하여 읽습니다.

읽기 _____

6543778800000000

읽기 _____

3500090000000000

읽기 _____

수를 읽어 보세요.

1200000000	십이억

35900000000	

500500000000	

3170000000	

4322000000000000	

1860000000000	

270조 2700억	

62조 3059억	

■ 수를 써 보세요.

| 삼십억 | — | 3000000000 |

| 백팔십오억 | — | |

| 오천삼백구십구억 | — | |

| 삼백육십억 이천칠백만 | — | |

| 육천이백팔십이조 | — | |

| 삼백조 이천억 | — | |

| 오십육조 사천삼억 | — | |

| 천이백삼십조 사천오백육십칠억 | — | |

🔖 다음과 같이 수를 나타내어 보세요.

21341203580063 ➡ 21조 3412억 358만 63

일의 자리부터 네 자리씩 나누어 봅니다.

56713572255 ➡

650080009000 ➡

1234567887654321 ➡

5787813562350 ➡

10987655441100 ➡

25140498705464 ➡

550300008000020 ➡

■ 설명하는 수가 얼마인지 쓰고 읽어 보세요.

억이 123개인 수

쓰기 _____

읽기 _____

억이 5800개인 수

쓰기 _____

읽기 _____

조가 3개, 억이 2256개인 수

쓰기 _____

읽기 _____

조가 988개, 억이 5544개인 수

쓰기 _____

읽기 _____

조가 2000개, 억이 10개인 수

쓰기 _____

읽기 _____

🔖 빈칸에 알맞은 수를 써넣으세요.

468500000000

백억의 자리 숫자는 ☐ 입니다.

억의 자리 숫자는 ☐ 입니다.

319700000000

천억의 자리 숫자는 ☐ 입니다.

십억의 자리 숫자는 ☐ 입니다.

57328900000000

십조의 자리 숫자는 ☐ 입니다.

십억의 자리 숫자는 ☐ 입니다.

679236200000000

조의 자리 숫자는 ☐ 입니다.

백억의 자리 숫자는 ☐ 입니다.

9543261700000000

천조의 자리 숫자는 ☐ 입니다.

십억의 자리 숫자는 ☐ 입니다.

2053489700000000

백조의 자리 숫자는 ☐ 입니다.

천억의 자리 숫자는 ☐ 입니다.

■ ㉠과 ㉡이 나타내는 값은 얼마인지 써 보세요.

23956100000000
㉠　　㉡

㉠: _____

㉡: _____

84250960000000
㉠　　　㉡

㉠: _____

㉡: _____

998565600000000
㉠　㉡

㉠: _____

㉡: _____

2309563500000000
㉠　　　㉡

㉠: _____

㉡: _____

1569803200000000
㉠　　　㉡

㉠: _____

㉡: _____

억의 자리 숫자가 3인 수

5430000000

1300000000

3700000000

조의 자리 숫자가 7인 수

745600000000

70935200000000

7149800000000

천억의 자리 숫자가 4인 수

480032000000

2049000000000

54873500000000

십조의 자리 숫자가 5인 수

503조 7000억

25조 9800억

3456조 120억

백억의 자리 숫자가 9인 수

2조 9812억

7조 945억

12조 795억

십억의 자리 숫자가 2인 수

20조 5896억

365조 120억

1130조 5230억

4주차 뛰어 세기

🪧 빈칸에 알맞은 수를 써넣으세요.

100만씩 뛰어 세기

100만씩 뛰어 세면 백만의 자리 숫자가 1씩 커집니다.

| 2355만 | 2455만 | 2555만 | | |

20000씩 뛰어 세기

2만씩 뛰어 세면 만의 자리 숫자가 2씩 커집니다.

| 540000 | 560000 | | | 620000 |

10억씩 뛰어 세기

| 7456억 | | 7476억 | | |

1조씩 뛰어 세기

| 16조 16억 | | | 19조 16억 | |

200만씩 뛰어 세기

| 1320000 | | 5320000 | | |

■ 빈칸에 알맞은 수를 써넣으세요.

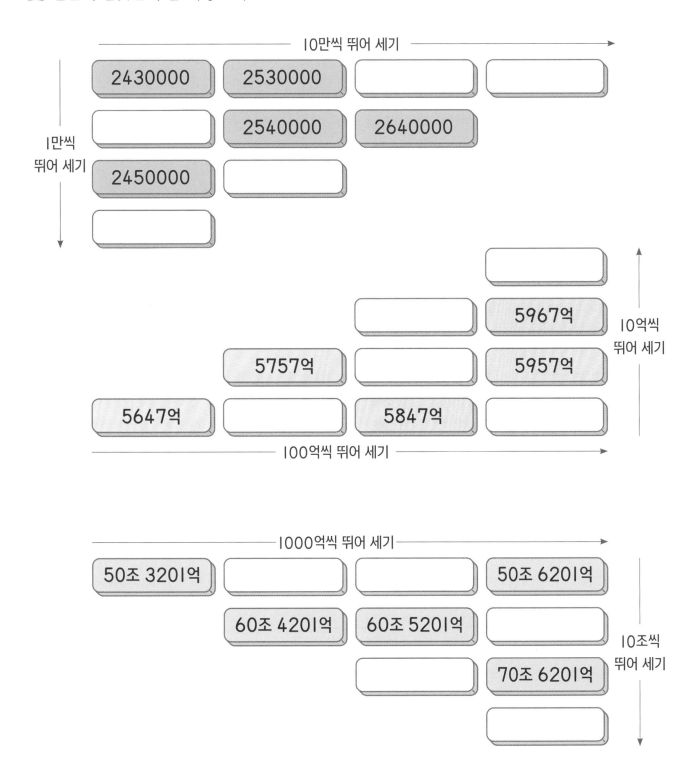

10만씩 뛰어 세기

1만씩 뛰어 세기

2430000	2530000		
	2540000	2640000	
2450000			

10억씩 뛰어 세기

			5967억
	5757억		5957억
5647억		5847억	

100억씩 뛰어 세기

1000억씩 뛰어 세기

50조 3201억			50조 6201억
	60조 4201억	60조 5201억	
			70조 6201억

10조씩 뛰어 세기

■ 빈칸에 알맞은 수를 쓰고, 몇씩 뛰어 세었는지 구해 보세요.

| 4260000 | | 4460000 | | |

4360000

어떤 자리의 숫자가 바뀌었는지 살펴봅니다.

( )씩

| 5300000 | | 7300000 | | |

6300000

( )씩

| 465억 8525만 | | 467억 8525만 | | |

466억 8525만

( )씩

| 63조 4432억 | | 63조 4632억 | | |

63조 4532억

( )씩

규칙을 찾아 빈 곳에 알맞은 수를 써넣으세요.

30억 7645만

42억 6645만

40억 7645만 42억 7645만 43억 7645만

42억 8645만

60억 7645만

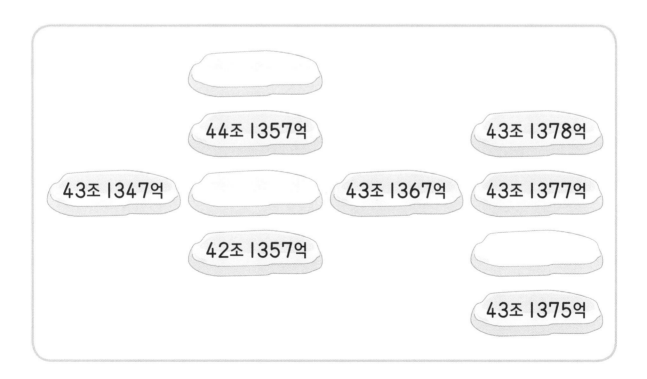

44조 1357억

43조 1378억

43조 1347억 43조 1367억 43조 1377억

42조 1357억

43조 1375억

빈칸에 알맞은 수를 쓰고 물음에 답하세요.

1월부터 5월까지 매달 20000원씩 기부한다면 전체 기부 금액은 얼마일까요?

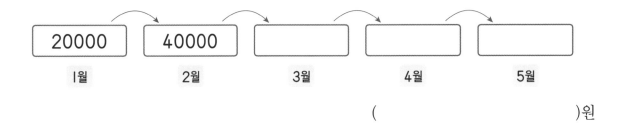

(   )원

3월부터 7월까지 매달 30만 원씩 모은다면 전체 모은 금액은 얼마일까요?

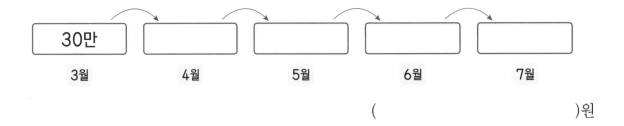

(   )원

승현이네 학교에서 불우 이웃 돕기 성금으로 5년 동안 매년 500만 원씩 모았습니다. 5년 동안 모은 전체 금액은 얼마일까요?

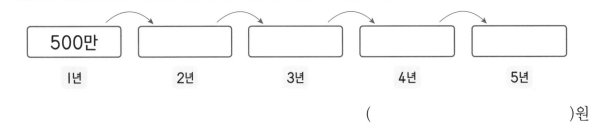

(   )원

📚 물음에 답하세요.

전자 제품 가게에서 100만 원짜리 노트북을 하루에 한 대씩 판매했습니다. 10일 동안 판매한 전체 노트북의 금액은 얼마일까요?

(   )원

지호의 어머니는 1월부터 8월까지 매달 20만 원씩 저금했습니다. 저금한 금액은 모두 얼마일까요?

(   )원

윤아네 가족은 여행을 가기 위해 매달 10만 원씩 모으기로 했습니다. 여행 비용이 100만 원이라면 몇 달 동안 모아야 할까요?

(   )달

민우네 가족은 동물 보호 단체에 매달 40000원씩 기부를 했습니다. 기부한 금액이 모두 200000원이라면 몇 달 동안 기부를 했을까요?

(   )달

빈칸에 알맞은 수를 써넣으세요.

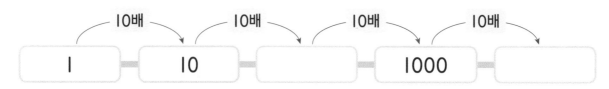

10배 하면 0이 1개, 100배 하면 0이 2개 …… 더 붙습니다.

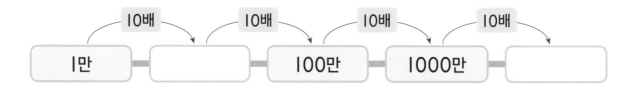

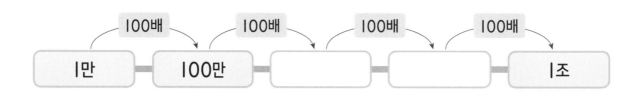

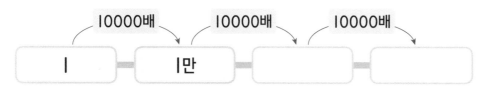

1에서 10000배가 될 때마다 수를 나타내는 단위가 바뀝니다.

설명에 맞는 수를 구해 보세요.

16만을 100배 한 수

(   )

10배씩 계속하면 다음과 같이 수가 커집니다.
16만 → 160만 → 1600만 → 1억 6000만 → 16억 ……

250만을 10배 한 수

(   )

3000억을 10배 한 수

(   )

1000을 100배 한 수

(   )

580만을 100배 한 수

(   )

20억을 1000배 한 수

(   )

120만을 1000배 한 수

(   )

36억을 10000배 한 수

(   )

■ 수를 알맞게 나타낸 것의 기호를 써 보세요.

10000

- ㉠ 100을 10배 한 수
- ㉡ 1000을 100배 한 수
- ㉢ 100을 100배 한 수

(   )

1000만

- ㉠ 1만을 10배 한 수
- ㉡ 100만을 10배 한 수
- ㉢ 10만을 10배 한 수

(   )

200억

- ㉠ 2억을 100배 한 수
- ㉡ 2000만을 100배 한 수
- ㉢ 20억을 100배 한 수

(   )

50조

- ㉠ 5조를 100배 한 수
- ㉡ 5000억을 10배 한 수
- ㉢ 500억을 1000배 한 수

(   )

350만

- ㉠ 3500을 1000배 한 수
- ㉡ 35만을 100배 한 수
- ㉢ 3만 5000을 10배 한 수

(   )

63억

- ㉠ 6억 3000만을 100배 한 수
- ㉡ 630만을 1000배 한 수
- ㉢ 6300만을 10배 한 수

(   )

📖 빈칸에 알맞은 수를 써넣으세요.

1억은

1000만을 [ ] 배 한 수입니다.

10만을 [ ] 배 한 수입니다.

100만은

1만을 [ ] 배 한 수입니다.

1000을 [ ] 배 한 수입니다.

30조는

3조를 [ ] 배 한 수입니다.

3000억을 [ ] 배 한 수입니다.

6700만은

67만을 [ ] 배 한 수입니다.

6만 7000을 [ ] 배 한 수입니다.

250억은

2억 5000만을 [ ] 배 한 수입니다.

250만을 [ ] 배 한 수입니다.

■ 물음에 답하세요.

1억은 100만의 몇 배일까요?

(   )배

100만 → 1000만 → 1억

20조는 200억의 몇 배일까요?

(   )배

4500억을 몇 배 하면 4조 5000억이 될까요?

(   )배

380억을 몇 배 하면 380조가 될까요?

(   )배

1000원짜리 지폐가 몇 장 있으면 100만 원이 될까요?

(   )장

10000원짜리 지폐가 몇 장 있으면 1억 원이 될까요?

(   )장

5주차 수의 크기 비교

자리 수 맞추기

📘 나타내는 수를 빈칸에 쓰고 크기를 비교하여 ○ 안에 >, = ,<를 알맞게 써넣으세요.

3	0	0	0	0
	6	0	0	0
		7	0	0
			3	0

2	0	0	0	0	0
	5	0	0	0	0
		6	0	0	0
				1	0

36730 256010

4	0	0	0	0	0
	5	0	0	0	0
		9	0	0	0
				8	0

4	0	0	0	0	0
	3	0	0	0	0
		5	0	0	0
			6	0	0

⭐ 두 수의 크기 비교

천만	백만	십만	만	천	백	십	일
5	4	8	7	0	0	0	0
	7	4	8	0	0	0	0

자리 수가 다르면 자리 수가 많은 수가 더 큽니다.

54870000 > 7480000

5487만 > 748만

천만	백만	십만	만	천	백	십	일
4	6	3	3	0	0	0	0
4	6	5	2	0	0	0	0

자리 수가 같으면 가장 높은 자리 수부터 차례로 비교하여 수가 더 큰 쪽이 더 큽니다.

46330000 < 46520000

4633만 < 4652만

■ 표를 알맞게 채우고 두 수의 크기를 비교하여 ○ 안에 >, = ,<를 알맞게 써넣으세요.

	천만	백만	십만	만	천	백	십	일
850000 ➡			8	5	0	0	0	0
1970000 ➡		1	9	7	0	0	0	0

850000 ○ 1970000

	천만	백만	십만	만	천	백	십	일
23650000 ➡								
23560000 ➡								

23650000 ○ 23560000

	억	천만	백만	십만	만	천	백	십	일
1억 2462만 ➡									
9733만 ➡									

1억 2462만 ○ 9733만

	억	천만	백만	십만	만	천	백	십	일
5억 6627만 ➡									
5억 6643만 ➡									

5억 6627만 ○ 5억 6643만

두 수의 크기를 비교하여 ○ 안에 >, = ,<를 알맞게 써넣으세요.

| 35267 | | 125824 |

| 6858442 | | 6858342 |

| 84560000 | | 845600000 |

| 54255425 | | 54524225 |

| 506억 8326만 | | 56억 9123만 |

| 735조 4428억 | | 732조 6428억 |

| 3996억 575만 | | 3996억 5750만 |

| 480조 2400억 | | 479조 2600억 |

더 큰 수를 나타내는 것에 ○표 하세요.

4760000
4760만

70억 5493만
7054900000

644억 3252만
64425320000

1343600000000
134조 36억

2099억
이천오백팔십구억

팔십억 칠천구백삼십오만
80억 975만

908520000
구억 팔천오십이만

오십오조 칠천삼백억
55730000000000

1356580000000
구조 칠천오백육십오억

사천구억 칠천십만
409070100000

■ 수의 크기를 비교하여 가장 작은 수부터 순서대로 기호를 써 보세요.

㉠ 365000
㉡ 36500
㉢ 3650000

(, ,)

㉠ 25786320
㉡ 31056789
㉢ 25783507

(, ,)

㉠ 49억 9800만
㉡ 52억 705만
㉢ 52억 5005만

(, ,)

㉠ 387조 7870억
㉡ 378조 8765억
㉢ 387조 7856억

(, ,)

㉠ 십이억 사천육백만
㉡ 팔천팔백만 사천칠백
㉢ 이십일억 삼천오백만

(, ,)

㉠ 삼백사십조 구천억
㉡ 삼천사백십조 팔천억
㉢ 삼백사십이조 칠천억

(, ,)

물음에 답하세요.

전기 요금이 가장 적게 나온 가구부터 차례로 가구를 써 보세요.

가구	101호	102호	103호
전기 요금	56750원	103235원	97120원

(　　　　　　 , 　　　　　　 , 　　　　　　)

가격이 가장 높은 제품부터 차례로 제품 이름을 써 보세요.

제품	텔레비전	냉장고	세탁기
가격	2560000원	1895000원	1530000원

(　　　　　　 , 　　　　　　 , 　　　　　　)

인구가 가장 많은 나라부터 차례로 나라 이름을 써 보세요.

나라	터키	칠레	멕시코
인구 수	8434만 명	1912만 명	1억 2893만 명

(　　　　　　 , 　　　　　　 , 　　　　　　)

📖 수의 크기를 비교하여 가장 큰 수부터 순서대로 기호를 써 보세요.

ㄱ 53720000

ㄴ 7012만

ㄷ 육천이백구십오만

(,   ,   )

ㄱ 오십억 칠천만

ㄴ 565003000

ㄷ 6억 9500만

(,   ,   )

ㄱ 130000000000

ㄴ 칠백팔십억

ㄷ 7800만

(,   ,   )

ㄱ 4조 5833억

ㄴ 3617200000000

ㄷ 삼십오조 천육백이십억

(,   ,   )

ㄱ 삼천백팔십칠억

ㄴ 6904억

ㄷ 316800000000

(,   ,   )

ㄱ 120534000000

ㄴ 907억 5000만

ㄷ 오천육억 오십사만

(,   ,   )

📖 물음에 답하세요.

저금한 돈이 가장 많은 사람부터 차례로 이름을 써 보세요.

이름	지수	소은	민규
저금한 돈	사만구천육십 원	14만 9540원	213400원

(,   ,   )

인구가 가장 많은 도시부터 차례로 도시 이름을 써 보세요.

도시	인천	청주	울산
인구 수	이백구십삼만 명	84만 명	1140000명

(,   ,   )

인구가 가장 적은 나라부터 차례로 나라 이름을 써 보세요.

나라	러시아	영국	필리핀
인구 수	1억 4593만 명	육천칠백팔십팔만 명	109580000 명

(,   ,   )

📖 0부터 9까지의 수 중에서 □ 안에 들어갈 수 있는 수를 모두 써 보세요.

35□20 > 35620

□가 6이면 두 수의 크기가 같아집니다.

( )

126□23 < 126223

( )

30□6248 > 3056248

( )

958□6312 < 95836312

( )

7□450 < 73652

백의 자리 수를 비교합니다.

( )

8□3023 > 865023

( )

216□935 < 2163835

( )

45□62593 > 45846217

( )

63□2006428 < 6340057890

( )

📖 설명에 알맞은 수를 써 보세요.

- 0, 2, 4, 6, 8을 한 번씩 사용한 다섯 자리 수입니다.
- 48000보다 큰 수입니다.
- 48200보다 작은 수입니다.
- 십의 자리 수는 6입니다.

(48062)

- 1부터 5까지의 수를 한 번씩 사용했습니다.
- 24000보다 큰 수입니다.
- 24300보다 작은 수입니다.
- 일의 자리 수는 5입니다.

(24135)

- 5부터 9까지의 수를 한 번씩 사용했습니다.
- 98600보다 작은 수입니다.
- 98500보다 큰 수입니다.
- 일의 자리 수는 홀수입니다.

(98567)

설명에 맞는 수에 ○표 하세요.

100만에 가장 가까운 수

| 106만 | 89만 |
| 97만 | 110만 |

1만씩 뛰어 세어 봅니다.

1만에 가장 가까운 수

| 14000 | 7000 |
| 11000 | 8000 |

1000억에 가장 가까운 수

| 750억 | 1150억 |
| 1230억 | 680억 |

10만에 가장 가까운 수

| 112000 | 86000 |
| 109000 | 94000 |

10억에 가장 가까운 수

| 9억 3000만 | 9억 |
| 10억 5000만 | 11억 2000만 |

1억에 가장 가까운 수

| 96000000 | 106000000 |
| 121000000 | 89000000 |

정답

정답

01 10000

빈칸에 알맞은 수를 써넣으세요.

1000이 10개이면 **10000** 입니다.

100이 10개이면 **1000** 입니다.   10이 10개이면 **100** 입니다.

100이 100개이면 **10000** 입니다.   10이 100개이면 **1000** 입니다.

100이 10개인 것의 10개이면 10000입니다.

10이 **1000** 개이면 10000입니다.

❋ 10000

1000이 10개인 수를 10000 또는 1만이라 쓰고, 만 또는 일만이라고 읽습니다.

➡ 10000

10000은 9000보다 1000 큰 수입니다.
10000은 9900보다 100 큰 수입니다.
10000은 9990보다 10 큰 수입니다.
10000은 9999보다 1 큰 수입니다.

10000이 되도록 이어 보세요.

9999 — 100
9990 — 1
9900 — 10

8000 — 2000
5000 — 3000
7000 — 5000

9960 — 60
9940 — 80
9920 — 40

9100 — 700
9500 — 500
9300 — 900

---

02 다섯 자리 수

빈칸에 알맞은 수를 써넣으세요.

53719 ➡	만의 자리	천의 자리	백의 자리	십의 자리	일의 자리
	5	3	7	1	9

53719 = **50000** + 3000 + **700** + 10 + **9**

만의 자리 숫자 5는 50000을 나타냅니다.

91262 ➡	만의 자리	천의 자리	백의 자리	십의 자리	일의 자리
	9	1	2	6	2

91262 = 90000 + **1000** + 200 + **60** + 2

35035 ➡	만의 자리	천의 자리	백의 자리	십의 자리	일의 자리
	3	5	0	3	5

35035 = **30000** + 5000 + **0** + 30 + **5**

❋ 각 자리의 숫자

만의 자리	천의 자리	백의 자리	십의 자리	일의 자리
3	5	2	9	8
3	0	0	0	0
	5	0	0	0
		2	0	0
			9	0
				8

35298 = 30000 + 5000 + 200 + 90 + 8

10000이 3개, 1000이 5개, 100이 2개, 10이 9개, 1이 8개인 수를 35298이라 쓰고, 삼만 오천이백구십팔이라고 읽습니다.

수를 쓰고 읽어 보세요.

10000이 6개, 1000이 3개, 100이 2개, 10이 6개, 1이 1개인 수

쓰기 **63261**   읽기 **육만 삼천이백육십일**

10000이 4개, 1000이 3개, 100이 1개, 10이 9개, 1이 9개

쓰기 **43199**   읽기 **사만 삼천백구십구**

10000이 9개, 1000이 8개, 100이 3개, 10이 4개, 1이 5개인 수

쓰기 **98345**   읽기 **구만 팔천삼백사십오**

10000이 8개, 1000이 7개, 100이 5개인 수

쓰기 **87500**   읽기 **팔만 칠천오백**

10000이 2개, 100이 3개, 1이 1개인 수

쓰기 **20301**   읽기 **이만 삼백일**

03 수 읽기

■ 빈칸에 알맞은 수나 말을 써넣으세요.

52762	→	오만 이천칠백육십이
72923		칠만 이천구백이십삼
21548		이만 천오백사십팔
65000		육만 오천
56007		오만 육천칠
45076		사만 오천칠십육
29305		이만 구천삼백오
80203		팔만 이백삼

■ 바르게 읽은 것에 ○표 하세요.

45323 — 사만 오천삼백삼십이 / ⭕사만 오천삼백이십삼

77896 — ⭕칠만 칠천팔백구십육 / 팔만 칠천팔백구십육

56320 — ⭕오만 육천삼백이십 / 오만 육천삼백이

20842 — 이만 팔천사십이 / ⭕이만 팔백사십이

60113 — 육만 천백삼 / ⭕육만 백십삼

99000 — ⭕구만 구천 / 구만 구백

34055 — ⭕삼만 사천오십오 / 사만 삼천오십오

40780 — 사만 칠천팔백 / ⭕사만 칠백팔십

04 금액 세기

■ 돈이 모두 얼마인지 세어 보세요.

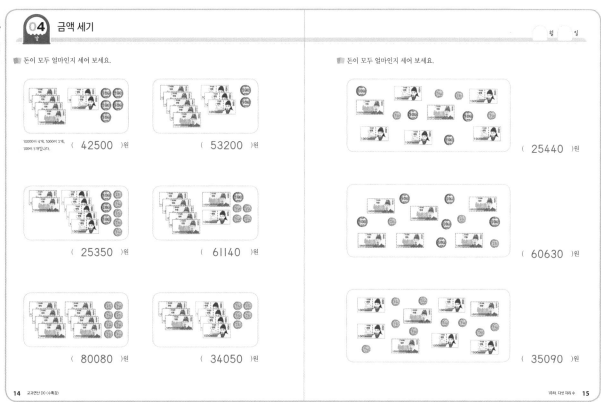

10000이 4개, 1000이 2개, 100이 5개입니다.   (42500)원

(53200)원

(25350)원

(61140)원

(80080)원

(34050)원

■ 돈이 모두 얼마인지 세어 보세요.

(25440)원

(60630)원

(35090)원

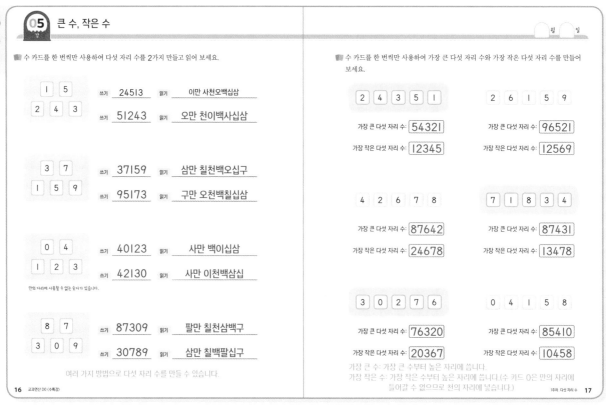

16·17쪽

05 큰 수, 작은 수

월 일

■ 수 카드를 한 번씩만 사용하여 다섯 자리 수를 2가지 만들고 읽어 보세요.

| 1 | 5 |
| 2 | 4 | 3 |

쓰기 24513 읽기 이만 사천오백십삼
쓰기 51243 읽기 오만 천이백사십삼

| 3 | 7 |
| 1 | 5 | 9 |

쓰기 37159 읽기 삼만 칠천백오십구
쓰기 95173 읽기 구만 오천백칠십삼

| 0 | 4 |
| 1 | 2 | 3 |

쓰기 40123 읽기 사만 백이십삼
쓰기 42130 읽기 사만 이천백삼십

만의 자리에 사용할 수 없는 숫자가 있습니다.

| 8 | 7 |
| 3 | 0 | 9 |

쓰기 87309 읽기 팔만 칠천삼백구
쓰기 30789 읽기 삼만 칠백팔십구

여러 가지 방법으로 다섯 자리 수를 만들 수 있습니다.

16 교과연산 D0 〈수특강〉

■ 수 카드를 한 번씩만 사용하여 가장 큰 다섯 자리 수와 가장 작은 다섯 자리 수를 만들어 보세요.

| 2 | 4 | 3 | 5 | 1 |

가장 큰 다섯 자리 수: 54321
가장 작은 다섯 자리 수: 12345

| 2 | 6 | 1 | 5 | 9 |

가장 큰 다섯 자리 수: 96521
가장 작은 다섯 자리 수: 12569

| 4 | 2 | 6 | 7 | 8 |

가장 큰 다섯 자리 수: 87642
가장 작은 다섯 자리 수: 24678

| 7 | 1 | 8 | 3 | 4 |

가장 큰 다섯 자리 수: 87431
가장 작은 다섯 자리 수: 13478

| 3 | 0 | 2 | 7 | 6 |

가장 큰 다섯 자리 수: 76320
가장 작은 다섯 자리 수: 20367

| 0 | 4 | 1 | 5 | 8 |

가장 큰 다섯 자리 수: 85410
가장 작은 다섯 자리 수: 10458

가장 큰 수: 가장 큰 수부터 높은 자리에 씁니다.
가장 작은 수: 가장 작은 수부터 높은 자리에 씁니다.(수 카드 0은 만의 자리에 들어갈 수 없으므로 천의 자리에 넣습니다.)

1주차 다섯 자리 수 17

18쪽

■ 다섯 자리 수입니다. 설명에 알맞은 수를 써 보세요.

- 1부터 5까지의 수를 한 번씩 사용했습니다.
- 만의 자리 수는 천의 자리 수보다 크고, 천의 자리 수는 백의 자리 수보다 큽니다.
- 십의 자리 수는 2입니다.
- 일의 자리 수는 짝수입니다.

(53124)

- 각 자리 숫자는 서로 다른 홀수입니다.
- 백의 자리 수는 5입니다.
- 만의 자리 수는 90000을 나타냅니다.
- 십의 자리 수와 일의 자리 수의 합은 10입니다.
- 일의 자리 수는 십의 자리 수보다 큽니다.

(91537)

- 5부터 9까지의 수를 한 번씩 사용했습니다.
- 천의 자리 수는 8000을 나타냅니다.
- 만의 자리 수는 짝수입니다.
- 일의 자리 수는 십의 자리 수보다 크고, 십의 자리 수는 백의 자리 수보다 큽니다.

(68579)

18 교과연산 D0 〈수특강〉

06 십만, 백만, 천만

📖 빈칸에 알맞은 수를 써넣으세요.

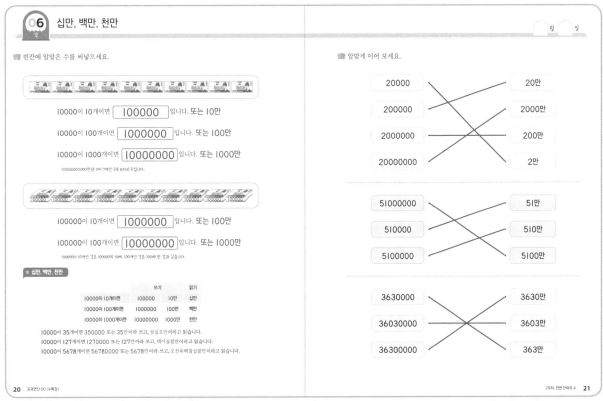

10000이 10개이면 **100000** 입니다. 또는 10만

10000이 100개이면 **1000000** 입니다. 또는 100만

10000이 1000개이면 **10000000** 입니다. 또는 1000만

10000000(1000만)은 0이 7개인 수로 8자리 수입니다.

100000이 10개이면 **1000000** 입니다. 또는 100만

100000이 100개이면 **10000000** 입니다. 또는 1000만

10000이 10개인 것은 100000의 10배, 100개인 것은 100과 한 것과 같습니다.

★ **십만, 백만, 천만**

	쓰기	읽기	
10000이 10개이면	100000	10만	십만
10000이 100개이면	1000000	100만	백만
10000이 1000개이면	10000000	1000만	천만

10000이 35개이면 350000 또는 35만이라 쓰고, 삼십오만이라고 읽습니다.
10000이 127개이면 1270000 또는 127만이라 쓰고, 백이십칠만이라고 읽습니다.
10000이 5678개이면 56780000 또는 5678만이라 쓰고, 오천육백칠십팔만이라고 읽습니다.

📖 알맞게 이어 보세요.

20000		20만
200000		2000만
2000000		200만
20000000		2만

51000000		51만
510000		510만
5100000		5100만

3630000		3630만
36030000		3603만
36300000		363만

---

07 각 자리의 숫자 (1)

📖 빈칸에 알맞은 수를 써넣으세요.

26730000 →

2	6	7	3	0	0	0	0
천	백	십	일	천	백	십	일
			만				일

26730000 = **20000000** + 6000000 + **700000** + 30000

98360000 →

9	8	3	6	0	0	0	0
천	백	십	일	천	백	십	일
			만				일

98360000 = 90000000 + **8000000** + 300000 + **60000**

4190000 →

4	1	9	0	0	0	0
천	백	십	일	천	백	십	일
			만				일

4190000 = **4000000** + **100000** + 90000

★ **각 자리의 숫자**

2	3	4	5	0	0	0	0
천	백	십	일	천	백	십	일
			만				일

23450000
= 20000000 + 3000000 + 400000 + 50000

23450000에서 천만의 자리 숫자는 2, 백만의 자리 숫자는 3, 십만의 자리 숫자는 4, 만의 자리 숫자는 5이고, 천의 자리 숫자는 0, 백의 자리 숫자는 0, 십의 자리 숫자는 0, 일의 자리 숫자는 0입니다.

📖 빈칸에 알맞은 수를 써넣으세요.

83140000

천만의 자리 숫자는 **8** 입니다.

만의 자리 숫자는 **4** 입니다.

몇 자리인지 셀 때는 일의 자리부터 단위를 셉니다.

25490000

백만의 자리 숫자는 **5** 입니다.

십만의 자리 숫자는 **4** 입니다.

2	5	4	9	0	0	0	0
천만	백만	십만	만	천	백	십	일

780000

십만의 자리 숫자는 **7** 입니다.

만의 자리 숫자는 **8** 입니다.

6420000

백만의 자리 숫자는 **6** 입니다.

십만의 자리 숫자는 **4** 입니다.

54900000

천만의 자리 숫자는 **5** 입니다.

십만의 자리 숫자는 **9** 입니다.

45600000

백만의 자리 숫자는 **5** 입니다.

만의 자리 숫자는 **0** 입니다.

정답

08 수 읽기

빈칸에 알맞은 수나 말을 써넣으세요.

| 320000 | — | 삼십이만 |

| 750000 | — | 칠십오만 |

| 500000 | — | 오십만 |
또는 50만

| 9890000 | — | 구백팔십구만 |

| 1680000 | — | 백육십팔만 |
또는 168만

| 54320000 | — | 오천사백삼십이만 |

| 86310000 | — | 팔천육백삼십일만 |
또는 8631만

| 40140000 | — | 사천십사만 |

알맞게 이어 보세요.

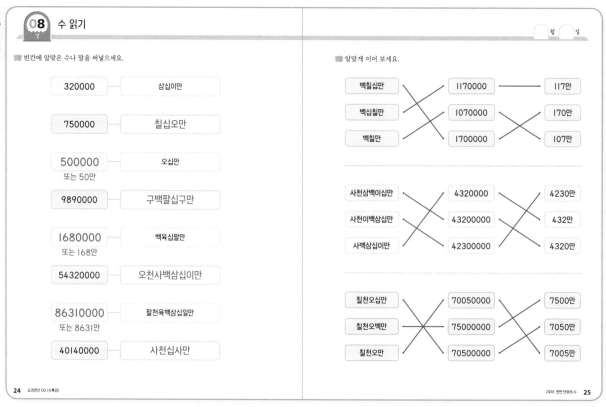

09 각 자리의 숫자 (2)

밑줄친 숫자가 나타내는 값을 써넣으세요.

5 2 30000 → 또는 20만
200000

5 3 20000 → 또는 2만
20000

2 3 50000 → 또는 200만
2000000

5230000에서 2는 십만의 자리 숫자입니다.

8 3 000000 → 또는 8000만
80000000

8 3 0000 → 또는 80만
800000

8 3 00000 → 또는 800만
8000000

55 5 50000 → 또는 50만
500000

5 5 550000 → 또는 5000만
50000000

555 5 0000 → 또는 500만
5000000

7 6 430000 → 또는 600만
6000000

12 6 80000 → 또는 60만
600000

6 7 900000 → 또는 6000만
60000000

밑줄친 숫자가 나타내는 값이 가장 큰 수에 ○표 하세요.

(4 260000)   5 4 00000   3 8 40000

74 1 90000   69 2 50000   34 9 80000

53 0 80000   3 4 0000   (3 0000000)

2 4 8만   7 2 4만   (34 1 5만)

99 2 0000   (2 3 40000)   2 6 만

(7 8 160000)   7 8 9만   12 7 8만

10 수 나타내기

월 일

다음과 같이 수를 나타내어 보세요.

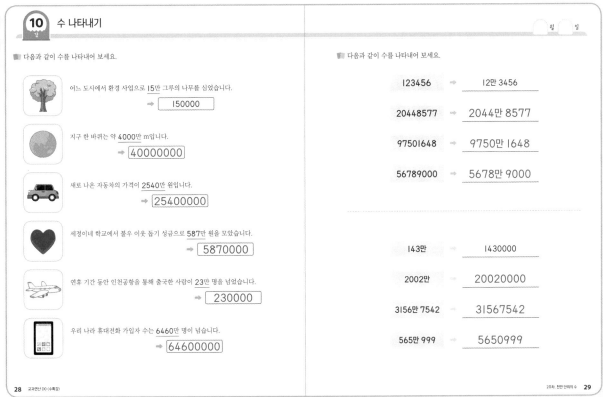

어느 도시에서 환경 사업으로 **15만** 그루의 나무를 심었습니다.
➡ 150000

지구 한 바퀴는 약 **4000만** m입니다.
➡ 40000000

새로 나온 자동차의 가격이 **2540만** 원입니다.
➡ 25400000

세정이네 학교에서 불우 이웃 돕기 성금으로 **587만** 원을 모았습니다.
➡ 5870000

연휴 기간 동안 인천공항을 통해 출국한 사람이 **23만** 명을 넘었습니다.
➡ 230000

우리 나라 휴대전화 가입자 수는 **6460만** 명이 넘습니다.
➡ 64600000

다음과 같이 수를 나타내어 보세요.

123456	➡	12만 3456
20448577	➡	2044만 8577
97501648	➡	9750만 1648
56789000	➡	5678만 9000

143만	➡	1430000
2002만	➡	20020000
3156만 7542	➡	31567542
565만 999	➡	5650999

설명하는 수가 얼마인지 써 보세요.

10만이 2개, 만이 3개인 수 (230000)
또는 23만

100만이 1개, 10만이 4개, 만이 5개인 수 (1450000)
또는 145만

1000만이 9개, 100만이 7개, 10만이 4개, 만이 1개인 수 (97410000)
또는 9741만

만이 36개인 수 (360000)
또는 36만

10만이 11개, 만이 5개인 수 (1150000)
10이 11개이면 110, 10만이 11개이면 110만입니다. 또는 115만

100만이 45개, 10만이 9개인 수 (45900000)
또는 4590만

100만이 99개, 10만이 8개, 만이 7개인 수 (99870000)
또는 9987만

32·33쪽

11 억

월 일

빈칸에 알맞은 수를 써넣으세요.

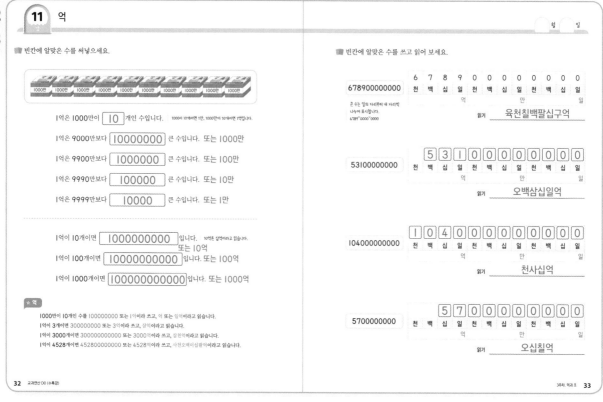

| 1000만 | 1000만 | 1000만 | 1000만 | 1000만 | 1000만 | 1000만 | 1000만 | 1000만 | 1000만 |

1억은 1000만이 **10** 개인 수입니다. 1000만이 10개이면 1억, 1000만이 10개이면 1억입니다.

1억은 9000만보다 **10000000** 큰 수입니다. 또는 1000만

1억은 9900만보다 **1000000** 큰 수입니다. 또는 100만

1억은 9990만보다 **100000** 큰 수입니다. 또는 10만

1억은 9999만보다 **10000** 큰 수입니다. 또는 1만

1억이 10개이면 **1000000000** 입니다. 10억은 십억이라고 읽습니다. 또는 10억

1억이 100개이면 **10000000000** 입니다. 또는 100억

1억이 1000개이면 **100000000000** 입니다. 또는 1000억

★ 억

1000만이 10개인 수를 100000000 또는 1억이라 쓰고, 억 또는 일억이라고 읽습니다.
1억이 3개이면 300000000 또는 3억이라 쓰고, 삼억이라 읽습니다.
1억이 3000개이면 300000000000 또는 3000억이라 쓰고, 삼천억이라고 읽습니다.
1억이 4528개이면 452800000000 또는 4528억이라 쓰고, 사천오백이십팔억이라고 읽습니다.

빈칸에 알맞은 수를 쓰고 읽어 보세요.

678900000000

6	7	8	9	0	0	0	0	0	0	0	0
천	백	십	일	천	백	십	일	천	백	십	일
		억				만				일	

큰 수는 일의 자리부터 네 자리씩 나누어 표시합니다.
6789`0000`0000

읽기 **육천칠백팔십구억**

53100000000

5	3	1	0	0	0	0	0	0	0	0
천	백	십	일	천	백	십	일	천	백	십	일
		억				만				일

읽기 **오백삼십일억**

104000000000

1	0	4	0	0	0	0	0	0	0	0	0
천	백	십	일	천	백	십	일	천	백	십	일
		억				만				일	

읽기 **천사십억**

5700000000

5	7	0	0	0	0	0	0	0	0
천	백	십	일	천	백	십	일	천	백	십	일
		억				만				일

읽기 **오십칠억**

34·35쪽

12 조

월 일

빈칸에 알맞은 수를 써넣으세요.

1조는 1000억이 **10** 개인 수입니다. 1억은 0이 8개로 9자리 수, 1조는 0이 12개로 13자리 수입니다.

1조는 9000억보다 **100000000000** 큰 수입니다. 또는 1000억

1조는 9900억보다 **10000000000** 큰 수입니다. 또는 100억

1조는 9990억보다 **1000000000** 큰 수입니다. 또는 10억

1조는 9999억보다 **100000000** 큰 수입니다. 또는 1억

1조가 10개이면 **10000000000000** 입니다. 10조는 십조라 읽습니다. 또는 10조

1조가 100개이면 **100000000000000** 입니다. 또는 100조

1조가 1000개이면 **1000000000000000** 입니다. 또는 1000조

1조가 3000개이면 **3000000000000000** 입니다. 또는 3000조

★ 조

1000억이 10개인 수를 1000000000000 또는 1조라 쓰고, 조 또는 일조라고 읽습니다.
1조가 5개이면 5000000000000 또는 5조라 쓰고, 오조라 읽습니다.
1조가 2000개이면 2000000000000000 또는 2000조라 쓰고, 이천조라고 읽습니다.
1조가 3926개이면 3926000000000000 또는 3926조라 쓰고, 삼천구백이십육조라고 읽습니다.

빈칸에 알맞은 수를 쓰고 읽어 보세요.

2378000000000000

2	3	7	8	0	0	0	0	0	0	0	0	0	0	0	0
천	백	십	일	천	백	십	일	천	백	십	일	천	백	십	일
		조				억				만				일	

큰 수는 일의 자리부터 네 자리씩 나누어 만, 억, 조를 이용하여 읽습니다.

읽기 **이천삼백칠십팔조**

6543778800000000

6	5	4	3	7	7	8	8	0	0	0	0	0	0	0	0
천	백	십	일	천	백	십	일	천	백	십	일	천	백	십	일
		조				억				만				일	

읽기 **육천오백사십삼조 칠천칠백팔십팔억**

3500090000000000

3	5	0	0	0	9	0	0	0	0	0	0	0	0	0	0
천	백	십	일	천	백	십	일	천	백	십	일	천	백	십	일
		조				억				만				일	

읽기 **삼천오백조 구백억**

13 수 읽기

📖 수를 읽어 보세요.

1200000000	십이억
35900000000	삼백오십구억
500500000000	오천오억
3170000000	삼십일억 칠천만
4322000000000000	사천삼백이십이조
1860000000000	일조 팔천육백억
270조 2700억	이백칠십조 이천칠백억
62조 3059억	육십이조 삼천오십구억

📖 수를 써 보세요.

삼십억	3000000000
백팔십오억	18500000000
	또는 185억
오천삼백구십구억	539900000000
	또는 5399억
삼백육십억 이천칠백만	36027000000
	또는 360억 2700만
육천이백팔십이조	6282000000000000
	또는 6282조
삼백조 이천억	300200000000000
	또는 300조 2000억
오십육조 사천삼억	56400300000000
	또는 56조 4003억
천이백삼십조 사천오백육십칠억	1230456700000000
	또는 1230조 4567억

14 수 나타내기

📖 다음과 같이 수를 나타내어 보세요.

21341203580063	21조 3412억 358만 63
56713572255	567억 1357만 2255
650080009000	6500억 8000만 9000
1234567887654321	1234조 5678억 8765만 4321
5787813562350	5조 7878억 1356만 2350
10987655441100	10조 9876억 5544만 1100
25140498705464	25조 1404억 9870만 5464
550300008000020	550조 3000억 800만 20

일의 자리부터 네 자리씩 나누어 봅니다.

📖 설명하는 수가 얼마인지 쓰고 읽어 보세요.

억이 123개인 수	또는 123억
	쓰기 12300000000
	읽기 백이십삼억
억이 5800개인 수	또는 5800억
	쓰기 580000000000
	읽기 오천팔백억
조가 3개, 억이 2256개인 수	또는 3조 2256억
	쓰기 3225600000000
	읽기 삼조 이천이백오십육억
조가 988개, 억이 5544개인 수	또는 988조 5544억
	쓰기 988554400000000
	읽기 구백팔십팔조 오천오백사십사억
조가 2000개, 억이 10개인 수	또는 2000조 10억
	쓰기 2000001000000000
	읽기 이천조 십억

정답

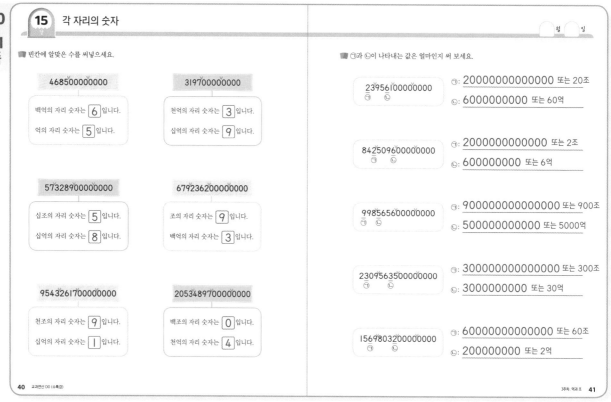

(15) 각 자리의 숫자

월 일

■ 빈칸에 알맞은 수를 써넣으세요.

468500000000

백억의 자리 숫자는 [6]입니다.
억의 자리 숫자는 [5]입니다.

319700000000

천억의 자리 숫자는 [3]입니다.
십억의 자리 숫자는 [9]입니다.

57328900000000

십조의 자리 숫자는 [5]입니다.
십억의 자리 숫자는 [8]입니다.

679236200000000

조의 자리 숫자는 [9]입니다.
백억의 자리 숫자는 [3]입니다.

954326170000000

천조의 자리 숫자는 [9]입니다.
십억의 자리 숫자는 [1]입니다.

2053489700000000

백조의 자리 숫자는 [0]입니다.
천억의 자리 숫자는 [4]입니다.

■ ㉠과 ㉡이 나타내는 값은 얼마인지 써 보세요.

23956100000000
㉠   ㉡

㉠: 20000000000000 또는 20조
㉡: 6000000000 또는 60억

842509600000000
            ㉠   ㉡

㉠: 2000000000000 또는 2조
㉡: 600000000 또는 6억

998565600000000
㉠   ㉡

㉠: 900000000000000 또는 900조
㉡: 500000000 또는 5000억

230956350000000
      ㉠   ㉡

㉠: 300000000000000 또는 300조
㉡: 3000000000 또는 30억

1569803200000000
㉠   ㉡

㉠: 60000000000000 또는 60조
㉡: 200000000 또는 2억

40 교과연산 D0 〈수특강〉

3주차. 억과 조 41

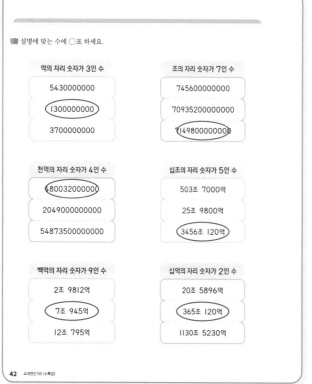

■ 설명에 맞는 수에 ○표 하세요.

억의 자리 숫자가 3인 수

5430000000
(1300000000)
3700000000

조의 자리 숫자가 7인 수

745600000000
70935200000000
(7149800000000)

천억의 자리 숫자가 4인 수

(480032000000)
2049000000000
54873500000000

십조의 자리 숫자가 5인 수

503조 7000억
25조 9800억
(3456조 120억)

백억의 자리 숫자가 9인 수

2조 9812억
(7조 945억)
12조 795억

십억의 자리 숫자가 2인 수

20조 5896억
(365조 120억)
1130조 5230억

42 교과연산 D0 〈수특강〉

[교재 35쪽 참고]

큰 수 표현 방법

일반적으로 큰 수를 나타낼 때 정확하고 편리하게 나타내기 위해 일의 자리부터 세 자리마다 쉼표(,)를 사용합니다. 이는 영어로 수를 나타낼 때 thousand(1000), million(100만), billion(10억), trillion(1조)과 같이 세 자리(1000배)마다 수를 표현하는 단위가 바뀌고, 이 방법이 보편화되어 있기 때문입니다.

그러나 우리 나라에서는 일, 만, 억, 조와 같이 네 자리(10000배)마다 수를 표현하는 단위가 바뀝니다.

따라서 생활 속에서 세 자리마다 쉼표를 나타내는 것과 수를 읽을 때 네 자리마다 수를 표현하는 단위가 바뀌는 것을 혼동하지 않도록 주의합니다.

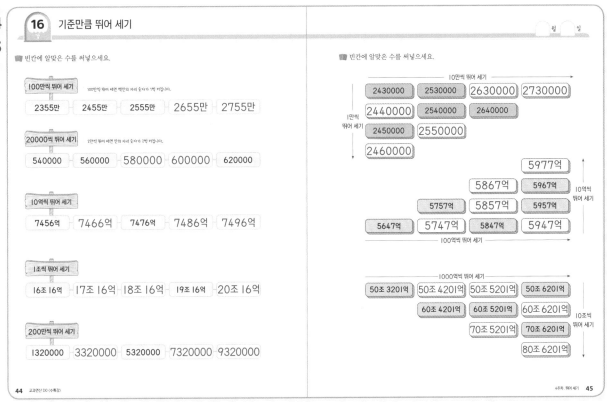

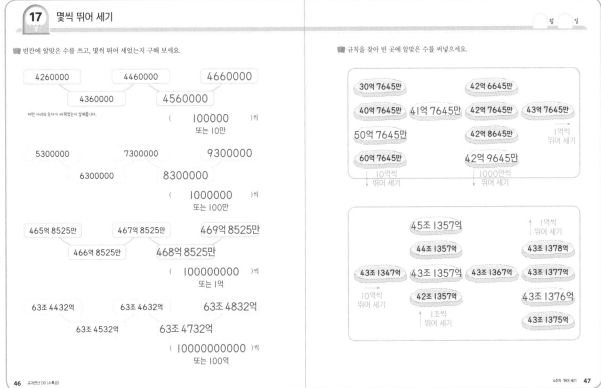

16 기준만큼 뛰어 세기

빈칸에 알맞은 수를 써넣으세요.

100만씩 뛰어 세기
100만씩 뛰어 세면 백만의 자리 숫자가 1씩 커집니다.

2355만 – 2455만 – 2555만 – 2655만 – 2755만

20000씩 뛰어 세기
2만씩 뛰어 세면 만의 자리 숫자가 2씩 커집니다.

540000 – 560000 – 580000 – 600000 – 620000

10억씩 뛰어 세기

7456억 – 7466억 – 7476억 – 7486억 – 7496억

1조씩 뛰어 세기

16조 16억 – 17조 16억 – 18조 16억 – 19조 16억 – 20조 16억

200만씩 뛰어 세기

1320000 – 3320000 – 5320000 – 7320000 – 9320000

빈칸에 알맞은 수를 써넣으세요.

10만씩 뛰어 세기
2430000 – 2530000 – 2630000 – 2730000
2440000 – 2540000 – 2640000
1만씩 뛰어 세기
2450000 – 2550000
2460000

10억씩 뛰어 세기
5977억
5867억 – 5967억
5757억 – 5857억 – 5957억
5647억 – 5747억 – 5847억 – 5947억
100억씩 뛰어 세기

1000억씩 뛰어 세기
50조 3201억 – 50조 4201억 – 50조 5201억 – 50조 6201억
60조 4201억 – 60조 5201억 – 60조 6201억
10조씩 뛰어 세기
70조 5201억 – 70조 6201억
80조 6201억

17 몇씩 뛰어 세기

빈칸에 알맞은 수를 쓰고, 몇씩 뛰어 세었는지 구해 보세요.

4260000 – 4460000 – 4660000
4360000 – 4560000

어떤 자리의 숫자가 바뀌었는지 살펴봅니다.
(100000)씩
또는 10만

5300000 – 7300000 – 9300000
6300000 – 8300000
(1000000)씩
또는 100만

465억 8525만 – 467억 8525만 – 469억 8525만
466억 8525만 – 468억 8525만
(100000000)씩
또는 1억

63조 4432억 – 63조 4632억 – 63조 4832억
63조 4532억 – 63조 4732억
(10000000000)씩
또는 100억

규칙을 찾아 빈 곳에 알맞은 수를 써넣으세요.

30억 7645만 – 42억 6645만
40억 7645만 – 41억 7645만 – 42억 7645만 – 43억 7645만
50억 7645만 – 42억 8645만
1억씩 뛰어 세기
60억 7645만 – 42억 9645만
10억씩 뛰어 세기   1000만씩 뛰어 세기

45조 1357억
1억씩 뛰어 세기
44조 1357억 – 43조 1378억
43조 1347억 – 43조 1357억 – 43조 1367억 – 43조 1377억
10억씩 뛰어 세기
42조 1357억 – 43조 1376억
1조씩 뛰어 세기
43조 1375억

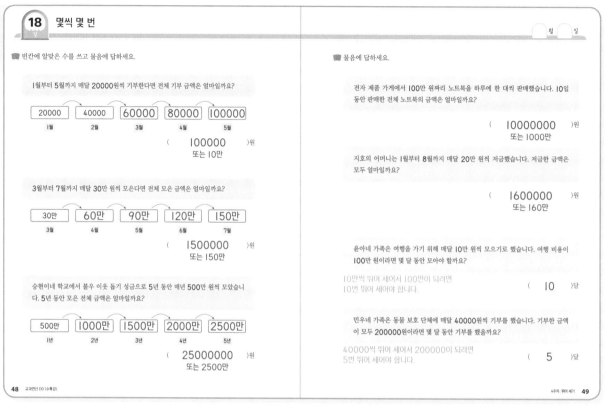

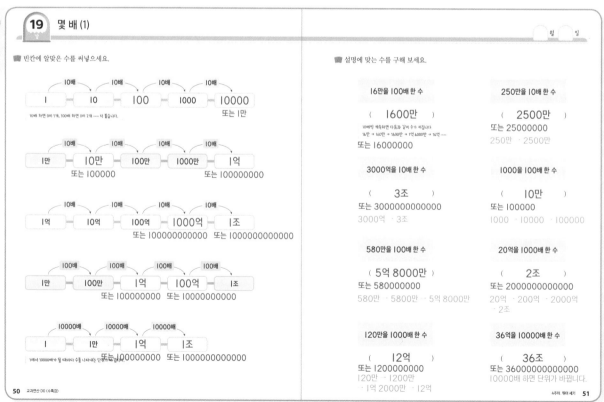

20 몇 배 (2)

📖 수를 알맞게 나타낸 것의 기호를 써 보세요.

10000
㉠ 100을 10배 한 수 1000
㉡ 1000을 100배 한 수 100000
㉢ 100을 100배 한 수 10000
(㉢)

1000만
㉠ 1만을 10배 한 수 10만
㉡ 100만을 10배 한 수 1000만
㉢ 10만을 10배 한 수 100만
(㉡)

200억
㉠ 2억을 100배 한 수 200억
㉡ 2000만을 100배 한 수 20억
㉢ 20억을 100배 한 수 2000억
(㉠)

50조
㉠ 5조를 100배 한 수 500조
㉡ 5000억을 10배 한 수 5조
㉢ 500억을 1000배 한 수 50조
(㉢)

350만
㉠ 3500을 1000배 한 수 350만
㉡ 35만을 10배 한 수 3500만
㉢ 3만 5000을 10배 한 수 35만
(㉠)

63억
㉠ 6억 3000만을 100배 한 수 630억
㉡ 630만을 1000배 한 수 63억
㉢ 6300만을 10배 한 수 6억 3000만
(㉡)

📖 빈칸에 알맞은 수를 써넣으세요.

1억은
1000만을 [10] 배 한 수입니다.
10만을 [1000] 배 한 수입니다.

100만은
1만을 [100] 배 한 수입니다.
1000을 [1000] 배 한 수입니다.

30조는
3조를 [10] 배 한 수입니다.
3000억을 [100] 배 한 수입니다.

6700만은
67만을 [100] 배 한 수입니다.
6만 7000을 [1000] 배 한 수입니다.

250억은
2억 5000만을 [100] 배 한 수입니다.
250만을 [10000] 배 한 수입니다.

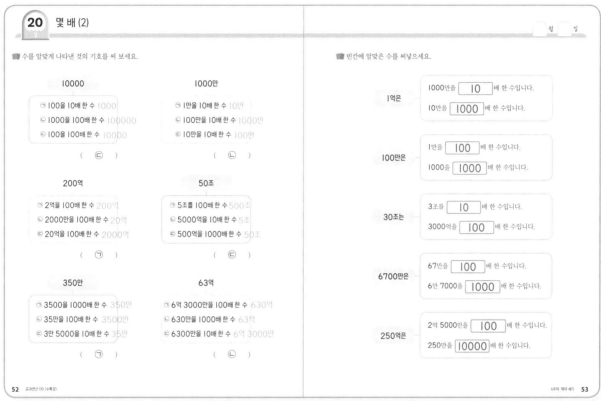

📖 물음에 답하세요.

1억은 100만의 몇 배일까요?
(100)배
100만 → 1000만 → 1억

20조는 200억의 몇 배일까요?
(1000)배

4500억을 몇 배 하면 4조 5000억이 될까요?
(10)배

380억을 몇 배 하면 380조가 될까요?
(10000)배

1000원짜리 지폐가 몇 장 있으면 100만 원이 될까요?
(1000)장

10000원짜리 지폐가 몇 장 있으면 1억 원이 될까요?
(10000)장

21강 자리 수 맞추기

월 일

■ 나타내는 수를 빈칸에 쓰고 크기를 비교하여 ○ 안에 >, = ,<를 알맞게 써넣으세요.

3	0	0	0	0
	6	0	0	0
		7	0	0
			3	0

2	0	0	0	0	0
	5	0	0	0	0
		6	0	0	0
				1	0

36730 $<$ 256010

4	0	0	0	0	0
	5	0	0	0	0
		9	0	0	0
				8	0

4	0	0	0	0	0
	3	0	0	0	0
		5	0	0	0
			6	0	0

459080 $>$ 435600

★ 두 수의 크기 비교

천만	백만	십만	만	천	백	십	일
5	4	8	7	0	0	0	0
7	4	8	0	0	0	0	0

자리 수가 다르면 자리 수가 많은 수가 더 큽니다.
54870000 > 7480000
5487만 > 748만

천만	백만	십만	만	천	백	십	일
4	6	3	3	0	0	0	0
4	6	5	2	0	0	0	0

자리 수가 같으면 가장 높은 자리 수부터 차례로
비교하여 수가 더 큰 쪽이 더 큽니다.
46330000 < 46520000
4633만 < 4652만

■ 표를 알맞게 채우고 두 수의 크기를 비교하여 ○ 안에 >, = ,<를 알맞게 써넣으세요.

	천만	백만	십만	만	천	백	십	일
850000 ➡			8	5	0	0	0	0
1970000 ➡		1	9	7	0	0	0	0

850000 $<$ 1970000

	천만	백만	십만	만	천	백	십	일
23650000 ➡	2	3	6	5	0	0	0	0
23560000 ➡	2	3	5	6	0	0	0	0

23650000 $>$ 23560000

	억	천만	백만	십만	만	천	백	십	일
1억 2462만 ➡	1	2	4	6	2	0	0	0	0
9733만 ➡		9	7	3	3	0	0	0	0

1억 2462만 $>$ 9733만

	억	천만	백만	십만	만	천	백	십	일
5억 6627만 ➡	5	6	6	2	7	0	0	0	0
5억 6643만 ➡	5	6	6	4	3	0	0	0	0

5억 6627만 $<$ 5억 6643만

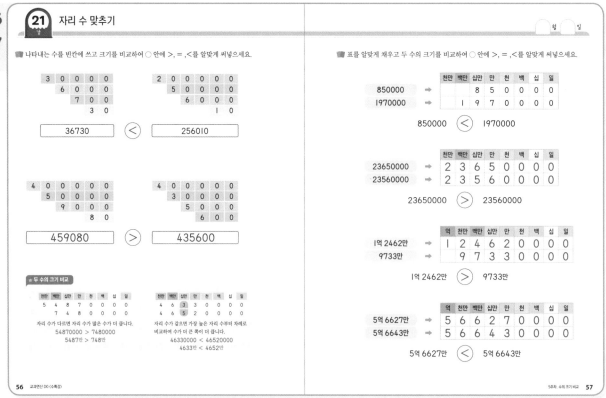

22강 두 수의 크기 비교

월 일

■ 두 수의 크기를 비교하여 ○ 안에 >, = ,<를 알맞게 써넣으세요.

35267 $<$ 125824

6858442 $>$ 6858342

84560000 $<$ 845600000

54255425 $<$ 54524225

506억 8326만 $>$ 56억 9123만

735조 4428억 $>$ 732조 6428억

3996억 575만 $<$ 3996억 5750만

480조 2400억 $>$ 479조 2600억

■ 더 큰 수를 나타내는 것에 ○표 하세요.

476만 4760000
(4760만)

(70억 5493만)
70억 5490만 7054900000

(644억 3252만)
644억 2532만 64425320000

1조 3436억 1343600000000
(134조 36억)

2099억
2589억 (이천오백팔십구억)

80억 7935만 팔십억 (칠천구백삼십오만)
80억 975만

9억 852만 908520000
9억 8052만 (구억 팔천오십이만)

오십오조 (칠천삼백억)
557조 3000억 557300000000000

13조 5658억 (13565800000000)
9조 7565억 구조 칠천오백육십오억

4009억 7010만 사천구억 칠천십만
4090억 7010만 (409070100000)

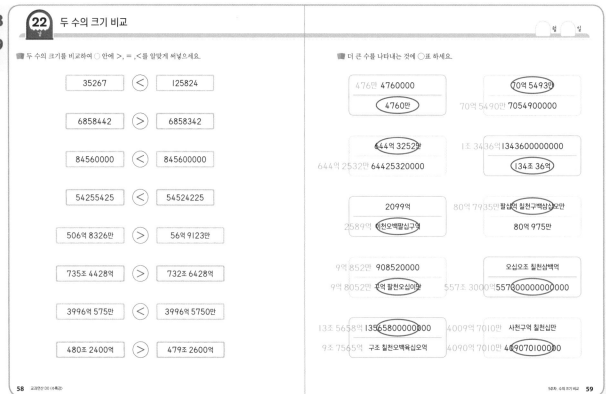

23강 큰 수, 작은 수 (1)

월 일

■ 수의 크기를 비교하여 가장 작은 수부터 순서대로 기호를 써 보세요.

⊙ 365000
ⓒ 36500
ⓒ 3650000

(ⓒ , ⊙ , ⓒ)

⊙ 25786320
ⓒ 31056789
ⓒ 25783507

(ⓒ , ⊙ , ⓒ)

⊙ 49억 9800만
ⓒ 52억 705만
ⓒ 52억 5005만

(⊙ , ⓒ , ⓒ)

⊙ 387조 7870억
ⓒ 378조 8765억
ⓒ 387조 7856억

(ⓒ , ⓒ , ⊙)

⊙ 십이억 사천육백만 12억 4600만
ⓒ 팔천팔백만 사천칠백 8800만 4700
ⓒ 이십일억 삼천오백만 21억 3500만

(ⓒ , ⊙ , ⓒ)

⊙ 삼백사십조 구천억 340조 9000억
ⓒ 삼천사백십조 팔천억 3410조 8000억
ⓒ 삼백사십이조 칠천억 342조 7000억

(⊙ , ⓒ , ⓒ)

■ 물음에 답하세요.

전기 요금이 가장 적게 나온 가구부터 차례로 가구를 써 보세요.

가구	101호	102호	103호
전기 요금	56750원	103235원	97120원

(101호 , 103호 , 102호)

가격이 가장 높은 제품부터 차례로 제품 이름을 써 보세요.

제품	텔레비전	냉장고	세탁기
가격	2560000원	1895000원	1530000원

(텔레비전 , 냉장고 , 세탁기)

인구가 가장 많은 나라부터 차례로 나라 이름을 써 보세요.

나라	터키	칠레	멕시코
인구 수	8434만 명	1912만 명	1억 2893만 명

(멕시코 , 터키 , 칠레)

24강 큰 수, 작은 수 (2)

월 일

■ 수의 크기를 비교하여 가장 큰 수부터 순서대로 기호를 써 보세요.

⊙ 53720000 5372만
ⓒ 7012만 7012만
ⓒ 육천이백구십오만 6295만

(ⓒ , ⓒ , ⊙)

⊙ 오십억 칠천만 50억 7000만
ⓒ 565003000 5억 6500만 3000
ⓒ 6억 9500만 6억 9500만

(⊙ , ⓒ , ⓒ)

⊙ 130000000000 1300억
ⓒ 칠백팔십억 780억
ⓒ 7800만 7800만

(⊙ , ⓒ , ⓒ)

⊙ 4조 5833억 4조 5833억
ⓒ 3617200000000 3조 6172억
ⓒ 삼십오조 천육백이십억 35조 1620억

(ⓒ , ⊙ , ⓒ)

⊙ 삼천백팔십칠억 3187억
ⓒ 6904억 6904억
ⓒ 316800000000 3168억

(ⓒ , ⊙ , ⓒ)

⊙ 120534000000 1205억 3400만
ⓒ 907억 5000만 907억 5000만
ⓒ 오천육억 오십사만 5006억 54만

(ⓒ , ⊙ , ⓒ)

■ 물음에 답하세요.

저금한 돈이 가장 많은 사람부터 차례로 이름을 써 보세요.

이름	지수	소은	민규
	4만 9060	14만 9540	21만 3400
저금한 돈	사만 구천육십 원	14만 9540원	213400원

(민규 , 소은 , 지수)

인구가 가장 많은 도시부터 차례로 도시 이름을 써 보세요.

도시	인천	청주	울산
	293만	84만	114만
인구 수	이백구십삼만 명	84만 명	1140000명

(인천 , 울산 , 청주)

인구가 가장 적은 나라부터 차례로 나라 이름을 써 보세요.

나라	러시아	영국	필리핀
	1억 4593만	6788만	1억 958만
인구 수	1억 4593만 명	육천칠백팔십팔만 명	109580000 명

(영국 , 필리핀 , 러시아)

정답

25 조건에 맞는 수

0부터 9까지의 수 중에서 □ 안에 들어갈 수 있는 수를 모두 써 보세요.

35□20 > 35620
다가 6보다면 두 수의 크기가 같아집니다.
(7, 8, 9)

126□23 < 126223
(0, 1)

30□6248 > 3056248
(6, 7, 8, 9)

958□6312 < 95836312
(0, 1, 2)

7□450 < 73652
백의 자리 수를 비교합니다.
(0, 1, 2, 3)

8□3023 > 865023
(7, 8, 9)

천의 자리 수에 3이 들어갈 수 있는지 없는지 알아봅니다. 백의 자리 수를 비교하면 4<6이므로 3이 들어갈 수 있습니다. (73450<73652)

216□935 < 2163835
(0, 1, 2)

45□62593 > 45846217
(8, 9)

63□2006428 < 6340057890
(0, 1, 2, 3)

설명에 알맞은 수를 써 보세요.

- 0, 2, 4, 6, 8을 한 번씩 사용한 다섯 자리 수입니다.
- 48000보다 큰 수입니다.
- 48200보다 작은 수입니다.
- 십의 자리 수는 6입니다.

(48062)

두 번째, 세 번째 조건에서 만의 자리는 4, 천의 자리는 8, 백의 자리는 0입니다.

- 1부터 5까지의 수를 한 번씩 사용했습니다.
- 24000보다 큰 수입니다.
- 24300보다 작은 수입니다.
- 일의 자리 수는 5입니다.

(24135)

두 번째, 세 번째 조건에서 만의 자리는 2, 천의 자리는 4, 백의 자리는 1 또는 2인데 2는 만의 자리 수이므로 백의 자리는 1입니다.

- 5부터 9까지의 수를 한 번씩 사용했습니다.
- 98600보다 작은 수입니다.
- 98500보다 큰 수입니다.
- 일의 자리 수는 홀수입니다.

(98567)

두 번째, 세 번째 조건에서 만의 자리는 9, 천의 자리는 8, 백의 자리는 5입니다.

설명에 맞는 수에 ○표 하세요.

100만에 가장 가까운 수
106만 89만
(97만) 110만

1만씩 뛰어 세어 봅니다.
100만에서 1만씩 거꾸로 3번 뛰어 세면 97만입니다.

1만에 가장 가까운 수
14000 7000
(11000) 8000

1만에서 1000씩 1번 뛰어 세면 11000입니다.

1000억에 가장 가까운 수
750억 (1150억)
1230억 680억

첫 번째 수부터 250억, 150억, 230억, 320억 차이 납니다.

10만에 가장 가까운 수
112000 86000
109000 (94000)

첫 번째 수부터 12000, 14000, 9000, 6000 차이 납니다.

10억에 가장 가까운 수
9억 3000만 9억
(10억 5000만) 11억 2000만

첫 번째 수부터 7000만, 1억, 5000만, 1억 2000만 차이 납니다.

1억에 가장 가까운 수
(96000000) 106000000
121000000 89000000

첫 번째 수부터 400만, 600만, 2100만, 1100만 차이 납니다.

하루 한 장 75일
집중 완성

교과 연산

하루 한 장 75일 집중 완성 교과연산

수특강

초4

D0

집중연산

D1, D2, D3

"연산을 이해하려면 수를 먼저 이해해야 합니다."

"계산은 문제를 해결하는 하나의 과정입니다."

"교과연산은 상황을 판단하는 능력을 길러줍니다."